내가 알아서 할게

선 넘는 말로부터 나를 지키는 **명언 필사**

엮은이 정재원 | 일러스트 숨숨

남의 인생에 이래라저래라 간섭하는 사람들이 왜 그리 많은 걸까요? 안 그래도 쉽지 않은 인생인데, 선 넘는 말들로 인해 에너지와 감정을 소모할 때가 종종 발생합니다. 이럴 때면 장기하 씨 노래처럼 '그건 니 생각이고'라고 딱 잘라 말하고 싶어지죠. 하지만 이 또한 상대방에게 맞대응하는 에너지와 용기가 필요한 일이어서, 속으로만 스트레스를 받고 넘어갈 때가 많습니다.

그렇다면 참견하는 말로 인해 받은 마음의 상처는 어떻게 해야 할까요? 이때 우리에게 필요한 건, 있는 그대로의 나를 존중해 주는 말입니다. 나를 바꾸려고 하지 않고, 내 생각과 판단을 동의해주는 말 한마디가 큰 힘이 되죠.

<내가 알아서 할게>는 선 넘는 말로부터 나를 지키기 위해, 내 생각을 지지하는 말을 필사하는 책입니다. 매일 두 개의 명언을 읽고, 그중 내 편이 되어줄 말을 골라서 베껴 쓰는 명언 필사책입니다.

이때 두 명언은 '아는 게 힘 VS 모르는 게 약'과 같이 그 의미가 서로 대립하는 명언 밸런스 게임으로 제시되어 있습니다. 극단적으로 대립하는 두 개의 명언 가운데 나를 위한 말을 찾는 즐거움이 있죠. 반대로 아무리 좋은 말이어도 내가 동의하지 않는 생각이 무엇인지 명확히 구분할 수 있습니다.

명언 밸런스 게임은 총 50일 치로 구성되어 있습니다. 게임을 다 풀고 나면 나를 지지하는 50개의 말을 얻을 수 있습니다. 세상에서 가장 현명하고 똑똑한 사람 50인을 나의 편으로 두게 되는 거죠. 그들의 현명한 말은 선 넘는 말로부터 나의 마음을 지켜주는 든든한 말이 되어 줍니다.

모든 명언에는 각 명언의 의미를 친절히 안내하는 곰 일러스트가 그려져 있습니다. 이 책의 표지 모델이기도 한 '마보곰'이라는 친구인데요. 누구든 마보곰만 봐도 명언을 직관적으로 이해할 수 있게끔 하였습니다. 혹시 명언을 어렵게 느끼는 분도 일러스트를 통해 명언을 더 친근하고 편안하게 이해할 수 있습니다.

그리고 이 책에는 50일의 필사 기록을 한눈에 볼 수 있는 '50일 리포트'가 마련되어 있습니다. 책과 함께 제공되는 마보곰 스티커(2종)를 활용하여 리포트를 완성하면 되는데요. 자신이 필사한 명언에 해당하는 마보곰 스티커를 50일 리포트 표에 붙이는 방식입니다. 하루하루 스티커를 붙이면서 성취감을 경험할 수 있고요. 스티커 붙이기를 모두 끝마치고 나면 내가 어떤 성향의 사람인지를 알려주는 50일 리포트를 확인할 수 있습니다.

세상 그 누구도 나에게 이래라저래라 함부로 말할 수 없습니다. 내 인생은 나의 것이니까요. 선 넘는 말로부터 자신을 지켜야 하는 이유입니다. 이 필사책을 쓰는 여러분 모두가, "내가 알아서 할게"라고 단호하게 말할 수 있기를 기원합니다.

엮은이 정재원

목차

내가 알아서 할게 사용법

<내가 알아서 할게>는 밸런스 게임을 풀며 나를 위한 명언을 필사하는 신개념 명언 필사 책입니다. 한 번 보면 누구나 쉽게 기록할 수 있지만, 처음이어서 낯선 분들을 위해 사용법을 안내해 둡니다.

1

가능한 것부터 하기 VS 불가능에 도전

66
나는 넘지도 못할 7피트
장대를 넘으려고 애쓰지
않는다. 나는 쉽게 넘을 수
있는 1피트 장대를 주위에
서 찾아본다.

[워런 버핏, 주식 투자자]

VS

할 :
하리
다시
더 잘
이 없
을 감

66
나는 넘지도 못할 7피트
장대를 넘으려고 애쓰지
않는다. 나는 쉽게 넘을 수
있는 1피트 장대를 주위에
서 찾아본다.

[워런 버핏, 주식 투자자]

VS

66
할 수 없을 것 같은 일을
하라. 실패하라. 그리고
다시 도전하라. 이번에는
더 잘해보라. 넘어져 본 적
이 없는 사람은 단지 위험
을 감수해 본 적이 없는
사람일 뿐이다.

[오프라 윈프리, 토크 쇼박스]

2

Guide 1 명언 주제를 'A VS B'의 형식으로 적어 두었습니다. 대립하는 두 명언의 핵심 쟁점을 미리 파악할 수 있습니다.

Guide 2 명언을 밸런스 게임의 형식으로 제시하고 있습니다. 같은 주제, 상반된 입장을 가진 두 개의 명언을 읽고, 내 입장은 무엇과 가까운지를 생각해 볼 수 있습니다.

3

Guide 3 필사하는 날의 날짜를 기록합니다. 반드시 매일 쓸 필요는 없습니다. 다만 정기적으로 기록하는 걸 추천드립니다.

20 23 년 7 월 17 일 (화

내 편에 서서 나를 지켜주는 명언을

"나는 넘지도 못할 7 피
애쓰지 않는다. 나는
장대를 주위에서 첫

명언을 선택하며 알게 된 나는 어떤 사람이

4

나는 _____ 가능한 것부터 차곡

내가 알아서 할게

5 **6**

Guide 4 앞에 제시된 두 명언 중 내 편에 서서 나를 지켜줄 명언을 선택하여 필사합니다. 필사 공간은 그리드의 형태로 넉넉하게 디자인하였습니다. 명언을 옮겨쓰고 남은 여백에 그림을 그리거나 떠오른 생각을 적는 등 자유롭게 활용할 수 있습니다.

Guide 5 명언을 필사하며 알게 된 '나'라는 사람에 대해 기록합니다. 이 기록을 통해 외부로부터 지켜야 할 나의 경계를 선명하게 그려 볼 수 있습니다.

Guide 6 마지막으로 이렇게 외치며 필사를 마무리합니다. '나는 이런 사람이야. 내가 알아서 할게!'

50일 리포트 사용법

50일의 기록을 한눈에 볼 수 있도록 한 코너입니다. 책과 함께 제공되는 스티커를 활용하여 리포트를 완성하는 방법을 안내해 두었습니다.

Guide 1 50일의 기록을 한눈에 볼 수 있는 50개의 칸을 제공합니다. 이 칸 안에 내가 필사한 명언에 해당하는 아보곰 일러스트 스티커를 붙입니다.

Guide 2 50개의 칸을 모두 스티커로 채운 후, 파란 스티커와 빨간 스티커의 총 수량을 확인합니다. 해당 수량을 괄호 안에 쓰고, 눈금자에도 빗금으로 표시합니다.

Guide 3 스티커의 색상에 따라 나의 성향을 파악할 수 있습니다. 파랑과 빨강 중 내가 더 많이 선택한 색이 의미하는 바를 제시된 글을 통해 확인해 봅니다.

50일 명언 필사

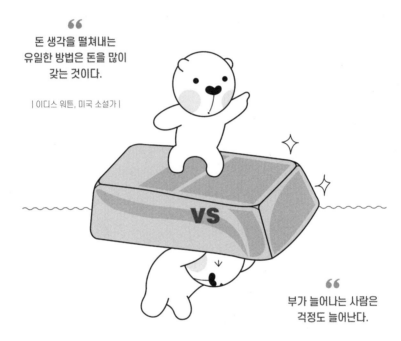

> 돈 생각을 떨쳐내는
> 유일한 방법은 돈을 많이
> 갖는 것이다.

| 이디스 워튼, 미국 소설가 |

> 부가 늘어나는 사람은
> 걱정도 늘어난다.

| 벤자민 프랭클린, 미국 정치인 |

내 편에 서서 나를 지켜주는 명언을 골라 필사해요.

명언을 선택하며 알게 된 나는 어떤 사람인가요.

내가 알아서 할게

나는 _____ 사람이야.

DAY 02   용의 꼬리 되기 VS 뱀의 머리 되기

66

어느 누구도 이 세상에서 최고의 존재가 된다는 것은 불가능하다. 그렇기 때문에 어느 정도 운명에 대한 체념이 있어야 한다.

| 이솝, 우화 작가 |

 VS

66

태양이 될 수 없다면 별이 되어라. 네가 이기고 지는 것은 크기에 달려있지 않다. 무엇이 되든 최고가 되어라.

| 더글라스 맬록, 미국 시인 |

20 년   월   일 (   )

내 편에 서서 나를 지켜주는 명언을 골라 필사해요.

명언을 선택하며 알게 된 나는 어떤 사람인가요.

내가 알아서 할게

나는 _____ 사람이야.

13

❝
우리가 무엇을 생각하느
냐, 무엇을 알고 있느냐,
무엇을 믿고 있느냐는
별로 중요하지 않다.
중요한 것은 결국 무엇을
행동으로 실천하느냐이다.

| 존 러스킨, 예술 평론가 |

VS

❝
멈춰라, 생각하라.

| 슬라보예 지젝, 현대 철학자 |

내 편에 서서 나를 지켜주는 명언을 골라 필사해요.

명언을 선택하며 알게 된 나는 어떤 사람인가요.

내가 알아서 할게

나는 _____ 사람이야.

**인생은 공평하지 않다.
그러니 그냥 익숙해져라.**

| 빌 게이츠, 미국 기업인 |

VS

**삶이 공평하지 않다고 말
하는 것이 아마도 내 일이
겠지만, 당신은 이미 그것
을 알고 있을 거라고 생각
한다. 그래서 대신에 희망
은 소중하고, 당신이 포기
하지 않는 것이 옳다고
말하겠다.**

| C.J.레드와인, SF 작가 |

내 편에 서서 나를 지켜주는 명언을 골라 필사해요.

명언을 선택하며 알게 된 나는 어떤 사람인가요.

내가 알아서 할게

나는 _____ 사람이야.

> 66
> 성공은 항상 위대함에 관
> 한 것이 아니다. 일관성에
> 관한 것이다. 꾸준한 노력
> 이 성공으로 이어진다.
> 위대함이 올 것이다.
>
> | 드웨인 존슨, 프로레슬링 선수 |

> 66
> 일관성은 상상력 없는 사
> 람들의 마지막 피난처다.
>
> | 오스카 와일드, 아일랜드 극작가 |

20		년		월		일 (	)	

내 편에 서서 나를 지켜주는 명언을 골라 필사해요.

명언을 선택하며 알게 된 나는 어떤 사람인가요.

내가 알아서 할게

나는 _____ 사람이야.

VS

> 자유는 책임이다. 그래서
> 대부분의 사람은 자유를
> 두려워한다.

| 조지 버나드 쇼, 아일랜드 극작가 |

> 나는 평화로운 노예로 사
> 느니, 차라리 위험천만한
> 자유를 택하겠다.

| 토머스 제퍼슨, 미국 정치인 |

내 편에 서서 나를 지켜주는 명언을 골라 필사해요.

명언을 선택하며 알게 된 나는 어떤 사람인가요.

나는 _____ 사람이야.

VS

66

재능은 아무것도 의미하지
않는다. 겸손과 근면함으
로 얻은 경험은 모든 것을
의미한다.

| 파트리크 쥐스킨트, 독일 소설가 |

66

겸손은 평범한 사람들에
게는 한갓 성실이지만,
위대한 재능의 소유자인
사람에게는 위선이다.

| 윌리엄 셰익스피어,
잉글랜드 극작가 |

20   년   월   일 (   )

내 편에 서서 나를 지켜주는 명언을 골라 필사해요.

명언을 선택하며 알게 된 나는 어떤 사람인가요.

내가 알아서 할게

나는 _____ 사람이야.

❝ 우유부단이야말로 성공을 가로막는 최대의 적이며 성공하는 사람들은 신속한 결단력의 소유자이다. | 나폴레온 힐, 성공학 연구자 |

VS

❝ 신중하지 않으면 찾아온 기회를 놓치기 일쑤이다. | 퍼블릴리어스 사이러스, 고대 로마 작가 |

20 년 월 일 ( )

내 편에 서서 나를 지켜주는 명언을 골라 필사해요.

명언을 선택하며 알게 된 나는 어떤 사람인가요.

내가 알아서 할게

나는 _____ 사람이야.

"
왜 굳이 의미를 찾으려 하
는가? 인생은 욕망이지,
의미가 아니다.

| 찰리 채플린, 영국 코미디언 |

VS

"
어떠한 경우라도
인생에는 의미가 있다.

| 빅터 프랭클, 로고테라피 창시자 |

내 편에 서서 나를 지켜주는 명언을 골라 필사해요.

명언을 선택하며 알게 된 나는 어떤 사람인가요.

나는 _____ 사람이야.

66
우연은 항상 강력하다.
항상 낚싯바늘을 던져놔
라. 전혀 기대치 않은 곳에
물고기가 있을 것이다.

| 오비디우스, 고대 로마 시인 |

66
운명은 우연이 아닌 선택
이다. 기다리는 것이 아니
라 성취하는 것이다.

| 윌리엄 제닝스 브라이언,
미국 정치인 |

내 편에 서서 나를 지켜주는 명언을 골라 필사해요.

명언을 선택하며 알게 된 나는 어떤 사람인가요.

내가 알아서 할게

나는 _____ 사람이야.

우리가 잘못된 길에 빠지는 건 뭔가를 몰라서가 아니라 안다고 확신하기 때문이다.

| 마크 트웨인, 미국 소설가 |

VS

지식이 문제를 일으킨다 해도, 우리가 무지로써 문제를 해결할 수 있는 건 아니다.

| 아이작 아시모프, SF 작가 |

내 편에 서서 나를 지켜주는 명언을 골라 필사해요.

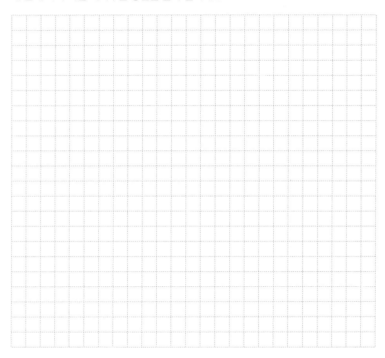

명언을 선택하며 알게 된 나는 어떤 사람인가요.

내가 알아서 할게

나는 _____ 사람이야.

66 도전에 성공하는 비결은 단 하나, 결단코 포기하지 않는 일이다. | 디오도어 루빈, 정신
분석가 |

VS

66 행복의 비결은 포기해야 할 것을 포기하는 것이다. | 앤드류 카네기, 미국 기업인 |

내 편에 서서 나를 지켜주는 명언을 골라 필사해요.

명언을 선택하며 알게 된 나는 어떤 사람인가요.

내가 알아서 할게

나는 _____ 사람이야.

VS

> 66
> 과거를 기억 못하는 이들
> 은 과거를 반복하기 마련
> 이다.

| 조지 산타야나, 미국 철학자 |

> 66
> 과거와 멀어질수록
> 내 성격을 형성하는 데
> 더 가까워진다.

| 이자벨 에버하트, 스위스 탐험가 |

내 편에 서서 나를 지켜주는 명언을 골라 필사해요.

명언을 선택하며 알게 된 나는 어떤 사람인가요.

내가 알아서 할게

나는 _____ 사람이야.

VS

66

슬픔은 시간의 날개와
함께 멀리 날아가게 될
것이다.

| 장 드 라 퐁텐, 프랑스 시인 |

66

슬픔의 유일한 치료제는
행동이다.

| 조지 헨리 루이스, 영국 철학자 |

20   년   월   일 (   )

내 편에 서서 나를 지켜주는 명언을 골라 필사해요.

명언을 선택하며 알게 된 나는 어떤 사람인가요.

내가 알아서 할게

나는 _____ 사람이야.

VS

66
논리는 당신을
A에서 B로 이끌 것이다.
그러나 상상력은 당신을
어느 곳이든 데려가 줄 수
있을 것이다.

| 알베르트 아인슈타인,
이론 물리학자 |

66
우리는 현실보다 상상에
서 더 큰 고통을 겪는다.

| 루키우스 안나이우스 세네카,
고대 로마 정치인 |

내 편에 서서 나를 지켜주는 명언을 골라 필사해요.

명언을 선택하며 알게 된 나는 어떤 사람인가요.

나는 _____ 사람이야.

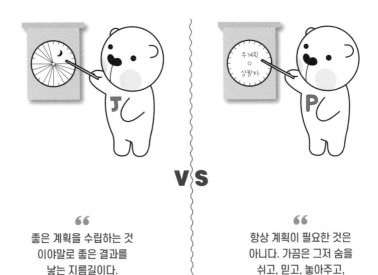

66
좋은 계획을 수립하는 것
이야말로 좋은 결과를
낳는 지름길이다.

| 고바야시 마사키, 일본 영화 감독 |

66
항상 계획이 필요한 것은
아니다. 가끔은 그저 숨을
쉬고, 믿고, 놓아주고,
무슨 일이 일어나는지
지켜볼 필요가 있다.

| 맨디 헤일, 미국 작가 |

20   년   월   일 (   )

내 편에 서서 나를 지켜주는 명언을 골라 필사해요.

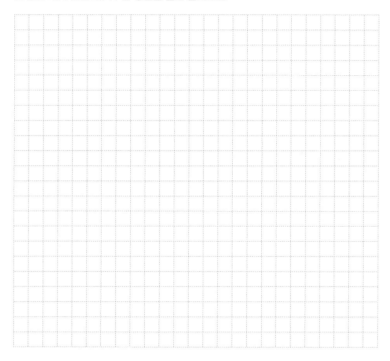

명언을 선택하며 알게 된 나는 어떤 사람인가요.

내가 알아서 할게

나는 _____ 사람이야.

VS

"

친구는 기쁨을 두 배로
만들고 슬픔을 반으로
줄인다.

| 프리드리히 실러, 근대 철학자 |

"

행복해지려면, 다른 사람
들과 지나치게 관계하지
말아야 한다.

| 알베르 카뮈, 프랑스 소설가 |

내 편에 서서 나를 지켜주는 명언을 골라 필사해요.

명언을 선택하며 알게 된 나는 어떤 사람인가요.

내가 알아서 할게

나는 _____ 사람이야.

VS

66

사람이 좀 더 관대해지기
위해서는 나이를 먹으면
된다. 다른 사람들이 저지
르는 잘못은 과거에 내가
저질렀던 잘못과 똑같은
것들이기에.

| 요한 볼프강 폰 괴테, 독일 작가 |

66

나이를 먹었다고 해서
현명해지는 것은 아니다.
조심성이 많아질 뿐이다.

| 어니스트 헤밍웨이, 미국 소설가 |

내 편에 서서 나를 지켜주는 명언을 골라 필사해요.

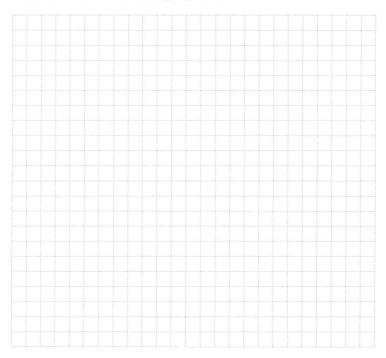

명언을 선택하며 알게 된 나는 어떤 사람인가요.

내가 알아서 할게

나는 _____ 사람이야.

VS

> **가정이야말로 고달픈 인생의 안식처요, 모든 싸움이 자취를 감추고 사랑이 싹트는 곳이요, 큰 사람이 작아지고 작은 사람이 커지는 곳이다.**
>
> | 허버트 조지 웰스, SF 작가 |

> **사람들은 피가 물보다 진하다고 말하지. 아마 그렇기 때문에 남에게 쏟는 것보다도 더 많은 에너지와 열정으로 가족과 싸우는 걸 거야.**
>
> | 데이비드 아셀, 영화 프로듀서 |

내 편에 서서 나를 지켜주는 명언을 골라 필사해요.

명언을 선택하며 알게 된 나는 어떤 사람인가요.

내가 앞에서 할게

나는 _____ 사람이야.

VS

66
도중에 포기하지 말라,
망설이지 말라, 최후의
성공을 거둘 때까지 밀고
나가자.

| 헨리 포드, 미국 기업인 |

66
중요한 것은 목표를 이루
는 것이 아니라 그 과정에
서 무엇을 배우며, 얼마나
성장했느냐이다.

| 앤드류 매튜스, 자기계발 작가 |

| 20 | 년 | 월 | 일 (|) |

내 편에 서서 나를 지켜주는 명언을 골라 필사해요.

명언을 선택하며 알게 된 나는 어떤 사람인가요.

내가 알아서 할게

나는 _____ 사람이야.

66

적을 만들지 마라.
좁은 길에서 만나면
피할 곳이 없다.

| 명심보감 |

66

적이 있는가? 괜찮다.
그건 당신이 살면서 뭔가
를 옹호했다는 것이다.

| 윈스턴 처칠, 영국 정치인 |

내 편에 서서 나를 지켜주는 명언을 골라 필사해요.

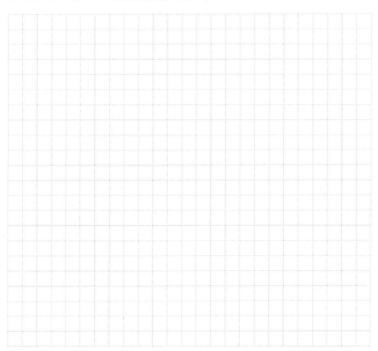

명언을 선택하며 알게 된 나는 어떤 사람인가요.

내가 알아서 할게

나는 _____ 사람이야.

VS

66

사람을 상처 입히는 것이
세 개 있다. 번민, 말다툼,
텅 빈 지갑, 그중에서
텅 빈 지갑이 가장 크게
사람을 상처 입힌다.

| 탈무드 |

66

돈을 버는 데 그릇된 방법
을 썼다면, 그만큼 그 마음
속에는 상처가 나 있을
것이다.

| 빌리 그레이엄, 미국 목사 |

내 편에 서서 나를 지켜주는 명언을 골라 필사해요.

명언을 선택하며 알게 된 나는 어떤 사람인가요.

나는 _____ 사람이야.

❝ 목표란 우리들이 계속 앞으로 나아가도록 해주는 것이다. | 앤드류 매튜스, 자기계발 작가 |

 VS

❝ 명확한 목표는 말의 곁눈 가리개처럼 목표를 가진 이의 시야를 좁게 하기 마련이다.
| 로버트 프로스트, 미국 시인 |

20	년	월	일 (	)

내 편에 서서 나를 지켜주는 명언을 골라 필사해요.

명언을 선택하며 알게 된 나는 어떤 사람인가요.

내가 알아서 할게

나는 ＿＿＿＿＿＿＿＿＿＿＿＿＿＿＿＿＿＿＿＿＿ 사람이야.

VS

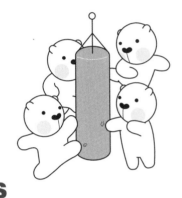

66

나는 1만 가지 발차기를
연습한 상대를 두려워하
지 않는다. 내가 두려운
건, 한 가지 발차기를
1만 번 반복 연습한 상대
를 만나는 것이다.

| 브루스 리, 무술 배우 |

66

인생은 하나의 실험이다.
실험이 많아질수록 당신은
좋은 사람이 된다.

| 랄프 왈도 에머슨, 미국 시인 |

20   년   월   일 (   )

내 편에 서서 나를 지켜주는 명언을 골라 필사해요.

명언을 선택하며 알게 된 나는 어떤 사람인가요.

내가 알아서 할게

나는 _____ 사람이야.

VS

> 66
>
> 내가 아는 성공한 사람 대부분은 말하기보다 듣기를 많이 하는 이들이다.
>
> | 버나드 맨스 바루크, 미국 재정가 |

> 66
>
> 내가 성공한 것은 최고의 조언에 진심으로 귀 기울인 후 그에 얽매이지 않고 정반대를 행한 덕이다.
>
> | 길버트 키스 체스터턴, 영국 작가 |

20   년   월   일 (   )

내 편에 서서 나를 지켜주는 명언을 골라 필사해요.

명언을 선택하며 알게 된 나는 어떤 사람인가요.

내가 알아서 할게

나는 _____ 사람이야.

66

주여, 제가 이룬 것보다
항상 더 많이 갈망하게
하소서.

| 미켈란젤로 부오나로티,
이탈리아 조각가 |

VS

66

가장 적은 것으로도 만족
하는 사람이 가장 부유한
사람이다.

| 소크라테스, 고대 철학자 |

내 편에 서서 나를 지켜주는 명언을 골라 필사해요.

명언을 선택하며 알게 된 나는 어떤 사람인가요.

내가 알아서 할게

나는 _____ 사람이야.

VS

66

절대 허송세월하지 마라.
책을 읽든지, 쓰든지, 기도
를 하든지, 명상을 하든지,
또는 공익을 위해 노력하
든지, 항상 뭔가를 해라.

| 토마스 아 켐피스,
독일 신비 사상가 |

66

즐기면서 소비한 시간은
낭비한 시간이 아니다.

| 마르트 트롤리 커틴, 영국 작가 |

20	년	월	일 (	)

내 편에 서서 나를 지켜주는 명언을 골라 필사해요.

명언을 선택하며 알게 된 나는 어떤 사람인가요.

내가 알아서 할게

나는 _____ 사람이야.

VS

66

오래가는 행복은 정직한
것 속에서만 발견할 수
있다.

| 게오르크 크리스토프 리히텐베르
크, 독일 물리학자 |

66

가난뱅이로 남는 가장 확
실한 방법은 정직한 사람
으로 일관하는 것이다.

| 나폴레옹 보나파르트,
프랑스 군인 |

20		년		월		일 (		)	

내 편에 서서 나를 지켜주는 명언을 골라 필사해요.

명언을 선택하며 알게 된 나는 어떤 사람인가요.

나는 _____ 사람이야.

VS

> ❝
> 감사함을 표현하는 마음
> 은 선을 베푸는 마음만큼
> 이나 아름다운 것이다.

| 루키우스 안나이우스 세네카,
고대 로마 정치인 |

> ❝
> 감사는 또 다른 호의를
> 바라는 마음의 표현일
> 뿐이다.

| 프랑수아 드 라 로슈푸코,
프랑스 작가 |

내 편에 서서 나를 지켜주는 명언을 골라 필사해요.

명언을 선택하며 알게 된 나는 어떤 사람인가요.

내가 알아서 할게

나는 _____ 사람이야.

VS

66

행복해지기 위해서는 가
끔 위험을 감수할 필요가
있다. 그러다가 상처를
입을 수도 있다는 것 역시
사실이다.

| 멕 캐봇, 미국 소설가 |

66

행복의 추구는 가장 어리
석은 말이다. 행복을 추구
하면 절대 행복을 찾지
못할 것이다.

| 찰스 퍼시 스노우,
잉글랜드 물리학자 |

| 20 | 년 | 월 | 일 (|) |

내 편에 서서 나를 지켜주는 명언을 골라 필사해요.

명언을 선택하며 알게 된 나는 어떤 사람인가요.

나는 _____ 사람이야.

최선보다는 성공 VS 성공보다는 최선

66

최선을 다하고 있다라고
말해봤자 소용없다. 필요
한 일을 함에 있어서는
반드시 성공해야 한다.

| 윈스턴 처칠, 영국 정치인 |

66

신은 우리가 성공할 것을
요구하지 않는다.
우리가 노력할 것을
요구할 뿐이다.

| 마더 테레사, 가톨릭 수녀 |

20   년   월   일 (   )

내 편에 서서 나를 지켜주는 명언을 골라 필사해요.

명언을 선택하며 알게 된 나는 어떤 사람인가요.

내가 알아서 할게

나는 _____ 사람이야.

VS

"
지식에 투자하는 것은
항상 최고의 이자를
지불한다.

| 벤자민 프랭클린, 미국 정치인 |

"
지식보다 중요한 것은
상상력이다.

| 알베르트 아인슈타인,
이론 물리학자 |

내 편에 서서 나를 지켜주는 명언을 골라 필사해요.

명언을 선택하며 알게 된 나는 어떤 사람인가요.

내가 알아서 할게

나는 _____ 사람이야.

66

행복한 결혼의 비밀은
올바른 상대방을 만나는
것이다. 항상 함께 있고 싶
은 사람이 있다면 그 사람
이 바로 올바른 사람이다.

| 줄리아 차일드, 요리 연구가 |

66

결혼에서의 성공이란,
단순히 올바른 상대를 찾
음으로써 오는 게 아니라
올바른 상대가 됨으로써
온다.

| 요제프 안톤 브리크너,
오스트리아 작곡가 |

20　　년　　　월　　　일 (　　　)

내 편에 서서 나를 지켜주는 명언을 골라 필사해요.

명언을 선택하며 알게 된 나는 어떤 사람인가요.

내가 알아서 할게

나는 ＿＿＿＿＿＿＿＿＿＿＿＿＿＿＿＿＿＿＿＿＿ 사람이야.

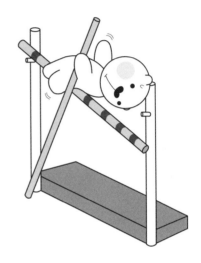

"
나는 넘지도 못할 7피트 장대를 넘으려고 애쓰지 않는다. 나는 쉽게 넘을 수 있는 1피트 장대를 주위에서 찾아본다.

| 워런 버핏, 주식 투자자 |

VS

"
할 수 없을 것 같은 일을 하라. 실패하라. 그리고 다시 도전하라. 이번에는 더 잘해보라. 넘어져 본 적이 없는 사람은 단지 위험을 감수해 본 적이 없는 사람일 뿐이다.

| 오프라 윈프리, 미국 방송인 |

20　　년　　월　　일（　　）

내 편에 서서 나를 지켜주는 명언을 골라 필사해요.

명언을 선택하며 알게 된 나는 어떤 사람인가요.

내가 알아서 할게

나는 ＿＿＿＿＿＿＿＿＿＿＿＿＿＿＿＿＿＿＿＿＿＿＿＿＿ 사람이야.

VS

66

가장 심오한 발언은 종종
침묵 속에 나오는 경우가
많다.

| 린 존스턴, 캐나다 만화가 |

66

가장 잔인한 거짓말은
흔히 침묵 속에서 이루어
진다.

| 로버트 루이스 스티븐슨,
스코틀랜드 소설가 |

내 편에 서서 나를 지켜주는 명언을 골라 필사해요.

명언을 선택하며 알게 된 나는 어떤 사람인가요.

내가 알아서 할게

나는 _____ 사람이야.

VS

> 66
>
> 타고난 능력 없이 교육만 받은 이보다, 교육받지 않았으나 타고난 능력이 있는 이가 영예와 미덕을 얻은 경우가 더 흔하다.
>
> | 마르쿠스 툴리우스 키케로, 고대 로마 작가 |

> 66
>
> 어려운 직업에서 성공하려면 자신을 굳게 믿어야 한다. 이것이 탁월한 재능을 지닌 사람보다 재능은 평범하지만 강한 투지를 가진 사람이 훨씬 더 성공하는 이유다.
>
> | 소피아 로렌, 이탈리아 배우 |

20   년   월   일 (   )

내 편에 서서 나를 지켜주는 명언을 골라 필사해요.

명언을 선택하며 알게 된 나는 어떤 사람인가요.

나는 _____ 사람이야.

　　　　모두에게 친절하기 VS 모두를 싫어하기

VS

66

친절하라. 우리가 만나는
사람은 모두 힘든 싸움을
하고 있다.

| 플라톤, 고대 철학자 |

66

나는 모든 편견으로부터
자유롭다. 나는 모든 사람
을 동일하게 싫어한다.

| W.C. 필즈, 미국 코미디언 |

내 편에 서서 나를 지켜주는 명언을 골라 필사해요.

명언을 선택하며 알게 된 나는 어떤 사람인가요.

나는 _____ 사람이야.

VS

66

가난하게 태어난 것은 당
신의 잘못이 아니다.
그러나 가난하게 죽는 것
은 당신 잘못이다.

| 빌 게이츠, 미국 기업인 |

66

부자들이란 가난한 사람
들의 노동으로 배부르게
먹고 고급 옷을 입고
사치스럽게 살아가는
사람들일 따름이다.

| 레프 톨스토이, 러시아 소설가 |

내 편에 서서 나를 지켜주는 명언을 골라 필사해요.

명언을 선택하며 알게 된 나는 어떤 사람인가요.

내가 알아서 할게

나는 _____ 사람이야.

VS

66

미래는 현재 우리가 무엇
을 하는가에 달려 있다.

| 마하트마 간디, 인도 독립운동가 |

66

우리는 오늘은 이러고 있
지만, 내일은 어떻게 될지
누가 아는가?

| 윌리엄 셰익스피어,
잉글랜드 극작가 |

20   년   월   일 (   )

내 편에 서서 나를 지켜주는 명언을 골라 필사해요.

명언을 선택하며 알게 된 나는 어떤 사람인가요.

내가 알아서 할게

나는 ＿＿＿＿＿＿＿＿＿＿＿＿＿＿＿＿＿＿＿＿＿＿＿ 사람이야.

VS

66

일하는 자는 행복한 자요,
한가한 자는 불행한 자다.

| 벤자민 프랭클린, 미국 정치인 |

66

한가함이란 아무것도 하는
일이 없다는 게 아니라
무엇이든 할 수 있는 여유
가 생겼다는 뜻이다.

| 플로이드 델, 미국 소설가 |

20   년   월   일 (   )

내 편에 서서 나를 지켜주는 명언을 골라 필사해요.

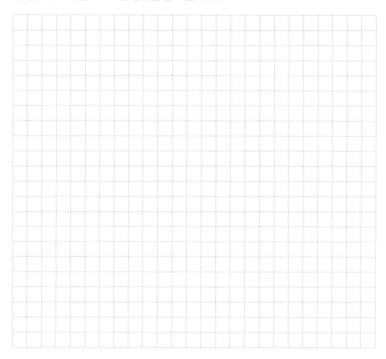

명언을 선택하며 알게 된 나는 어떤 사람인가요.

나는 _____ 사람이야.

66

자신이 많이 가지고 있다
고 해서, 자신보다 훨씬 덜
가진 사람들에 대해 쉽게
말하는 사람만큼 우스꽝
스러운 것은 없다.

| 제인 오스틴, 영국 소설가 |

VS

66

언젠가 나도 부자가 되고
싶다. 어떤 이들은 돈이 너
무 많아서 인간에 대한 경
외심을 모두 잃는다.
나도 그 정도로 부자가
되고 싶다.

| 리타 러드너, 미국 코미디언 |

내 편에 서서 나를 지켜주는 명언을 골라 필사해요.

명언을 선택하며 알게 된 나는 어떤 사람인가요.

내가 알아서 할게

나는 _____ 사람이야.

남 먼저 VS 나 먼저

66

오직 남을 위해 산 인생만
이 가치 있는 것이다.

| 알베르트 아인슈타인,
이론 물리학자 |

66

다른 사람을 위해 당신의
삶을 살 수는 없다. 사랑하
는 사람에게 상처를 주더
라도 당신에게 옳은 일을
해야 한다.

| 니콜라스 스파크스, 미국 소설가 |

내 편에 서서 나를 지켜주는 명언을 골라 필사해요.

명언을 선택하며 알게 된 나는 어떤 사람인가요.

내가 알아서 할게

나는 _____ 사람이야.

"
지속적인 긍정적 사고는
능력을 배가시킨다.

| 콜린 파월, 미국 정치인 |

"
긍정적 사고만큼 나를 우
울하게 만드는 일은 없다.

| 폴 퍼셀, 미국 역사가 |

내 편에 서서 나를 지켜주는 명언을 골라 필사해요.

명언을 선택하며 알게 된 나는 어떤 사람인가요.

내가 알아서 할게

나는 _____ 사람이야.

VS

❝
같은 것을 좋아하고 같은
것을 싫어하는 것이 바로
진정한 우정이다.

| 사루스티우스, 고대 로마 역사가 |

❝
반대하는 것이야말로
진정한 우정이다.

| 윌리엄 블레이크, 영국 시인 |

20   년   월   일 (   )

내 편에 서서 나를 지켜주는 명언을 골라 필사해요.

명언을 선택하며 알게 된 나는 어떤 사람인가요.

내가 알아서 할게

나는 _____ 사람이야.

❝ 극단은 부도덕한 것이다. 그건 사람으로부터 발생한다. 모든 균형은 옳다. 그것은
신으로부터 오는 것이므로. | 장 드 라 브뤼예르, 프랑스 작가 |

❝ 워라밸 같은 것은 세상에 존재하지 않는다. 쟁취할 가치가 있는 모든 것은 당신의
인생을 불균형하게 만들기 마련이다. | 알랭 드 보통, 스위스 작가 |

내 편에 서서 나를 지켜주는 명언을 골라 필사해요.

명언을 선택하며 알게 된 나는 어떤 사람인가요.

내가 알아서 할게

나는 _____ 사람이야.

66

나도 한 번밖에 결혼한 적이 없어서 자세한 것은 잘 모르지만, 결혼이라는 것은 좋을 때는 아주 좋습니다. 별로 좋지 않을 때 나는 늘 뭔가 딴생각을 떠올리려 합니다. 그렇지만 좋을 때는 아주 좋습니다. 좋을 때가 많기를 기원합니다. 행복하세요.

| 무라카미 하루키, 일본 소설가 |

66

결혼이란 혼자 살았으면 있지도 않았을 문제들을, 둘이서 함께 고민하려는 시도이다.

| 에디 캔터, 미국 배우 |

내 편에 서서 나를 지켜주는 명언을 골라 필사해요.

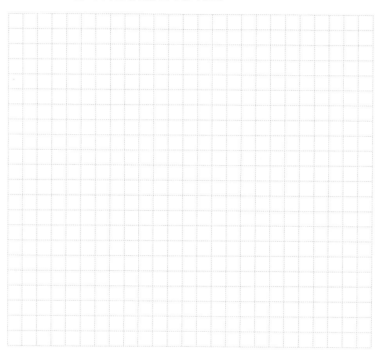

명언을 선택하며 알게 된 나는 어떤 사람인가요.

나는 _____ 사람이야.

VS

❝

어린이는 신이 인간에 대
하여 절망하지 않고 있다
는 것을 보여주기 위해
이 땅에 보낸 사신이다.

| 라빈드라나트 타고르, 인도 시인 |

❝

어린아이는 완전히 이기적
인 존재이다. 그들은 욕구
를 강하게 느끼고 그 욕구
를 충족시키기 위해 무자
비할 정도로 분투한다.

| 지그문트 프로이트, 정신분석가 |

20   년   월   일 (   )

내 편에 서서 나를 지켜주는 명언을 골라 필사해요.

명언을 선택하며 알게 된 나는 어떤 사람인가요.

내가 알아서 할게

나는 _____ 사람이야.

유종의 미 VS 시작이 반

"
중요한 건 당신이 어떻게
시작했는가가 아니라
어떻게 끝내는가이다.

| 앤드류 매튜스, 자기계발 작가 |

 VS

"
시작하라. 그 자체가 천재
성이고 힘이며 마력이다.

| 요한 볼프강 폰 괴테, 독일 작가 |

내 편에 서서 나를 지켜주는 명언을 골라 필사해요.

명언을 선택하며 알게 된 나는 어떤 사람인가요.

내가 알아서 할게

나는 _____ 사람이야.

사랑할래 VS 사랑 안 해

VS

66

춤춰라, 아무도 바라보고 있지 않은 것처럼. 사랑해라, 영원히 상처 받지 않을 것처럼. 노래해라, 아무도 듣고 있지 않은 것처럼. 살아라, 이곳이 지상 낙원인 것처럼.

| 윌리엄 퍼키, 미국 작가 |

66

당신은 사랑을 해본 적이 있습니까? 끔찍하지 않나요? 그것은 당신을 매우 취약하게 만듭니다. 당신의 가슴을 열고 당신의 마음을 열어줍니다. 그리고 그것은 누군가가 당신의 안으로 들어가 당신을 망칠 수 있다는 것을 의미합니다.

| 닐 게이먼, 그래픽 노블 작가 |

내 편에 서서 나를 지켜주는 명언을 골라 필사해요.

명언을 선택하며 알게 된 나는 어떤 사람인가요.

내가 알아서 할게

나는 ＿＿＿＿＿＿＿＿＿＿＿＿＿＿＿＿＿＿＿＿ 사람이야.

"
사람들의 신뢰는 돈보다
더 가치 있다.

| 카터 고드윈 우드슨, 미국 역사가 |

"
다른 사람의 눈으로 나를
판단하지 않는 데 오랜
시간이 걸렸다.

| 샐리 마거릿 필드, 미국 배우 |

| 20 | 년 | 월 | 일 (|) |

내 편에 서서 나를 지켜주는 명언을 골라 필사해요.

명언을 선택하며 알게 된 나는 어떤 사람인가요.

내가 알아서 할게

나는 _____ 사람이야.

50일 리포트

DAY 01		DAY 02		DAY 03		DAY 04		DAY 05	
DAY 06		DAY 07		DAY 08		DAY 09		DAY 10	
DAY 11		DAY 12		DAY 13		DAY 14		DAY 15	
DAY 16		DAY 17		DAY 18		DAY 19		DAY 20	
DAY 21		DAY 22		DAY 23		DAY 24		DAY 25	
DAY 26		DAY 27		DAY 28		DAY 29		DAY 30	
DAY 31		DAY 32		DAY 33		DAY 34		DAY 35	
DAY 36		DAY 37		DAY 38		DAY 39		DAY 40	
DAY 41		DAY 42		DAY 43		DAY 44		DAY 45	
DAY 46		DAY 47		DAY 48		DAY 49		DAY 50	

파란색은 보편과 상식을 추구하는 안정적 성향

안정적 성향의 사람은 상대적으로 우리에게 익숙한 명언을 선택한 사람들입니다. 이들은 전통적인 가치를 소중히 여기고, 다수의 사람들이 가지고 있는 상식이나 생활 방식을 따르는 경향이 있습니다.

빨간색은 변화와 새로움을 추구하는 도전적 성향

도전적 성향의 사람은 상대적으로 우리에게 낯선 명언을 선택한 사람들입니다. 이들은 주체적인 가치를 소중히 여기고, 상식을 거스르는 역발상적 사고를 펼치는 경향이 있습니다.

NAME
_____

SNS
_____

FAVORITE SAYING
_____

내가 알아서 할게 :
선 넘는 말로부터 나를 지키는 명언 필사

초판 1쇄 발행 2023년 8월 1일

엮은이   정재원
일러스트 숨숨
발행인   안미선
발행처   밤과낱말
출판등록 2020년 3월 25일 제2020-000030호
주소   서울시 종로구 충신4나길 5, 101호
email   nightnword@gmail.com
instagram @nightnword
shop   https://smartstore.naver.com/nightnword

ISBN 979-11-979110-2-6 (13190)
값 16,900원